한지아 글·그림
한국과 영국에서 시각 디자인과 그림책을 전공했습니다.
특유의 부드럽고 감성적인 그림으로 그림책에 생명을 불어넣는 작가입니다.
쓰고 그린 책으로 《빗방울이 톡 톡 톡》, 《다 내꺼》가 있습니다.
영국에서는 《Fitz and Will》을, 한국에서는 《바빠가족》, 《하늘》을 그리기도 했습니다.
jiacom@naver.com

내 이름은 제동크
My Name is Zedonk

1판 1쇄 | 2020년 10월 29일
1판 14쇄 | 2023년 3월 20일

글 · 그림 | 한지아

펴낸이 | 박현진
펴낸곳 | (주)풀과바람
주소 | 경기도 파주시 회동길 329(서패동, 파주출판도시)
전화 | 031) 955-9655~6
팩스 | 031) 955-9657
출판등록 | 2000년 4월 24일 제20-328호

블로그 | blog.naver.com/grassandwind
이메일 | grassandwind@hanmail.net

편집 | 이영란
디자인 | 박기준
마케팅 | 이승민

값 12,000원
ISBN 978-89-8389-864-7 77810

※ 잘못 만들어진 책은 구입처에서 바꾸어 드립니다.

이 도서의 국립중앙도서관 출판예정도서목록(CIP)은 서지정보유통지원시스템 홈페이지(seoji.nl.go.kr)와 국가자료공동목록시스템(www.nl.go.kr/kolisnet)에서 이용하실 수 있습니다. (CIP제어번호 : CIP2020038303)

내 이름은 제동크

글·그림 한지아

안녕! 나는 **제동크**예요.

우리 엄마는 **당나귀**고요.

우리 아빠는 얼룩말이에요.

할머니가 그러는데요, 엄마랑 아빠는 비슷하게 생겼지만 좀 다르대요.

엄마는 **당나귀**고, 아빠는 **얼룩말**이니까요.

들판에서 만난 엄마랑 아빠는 첫눈에 사랑에 빠졌대요.

함께 있으면 낮에도 행복했고요,

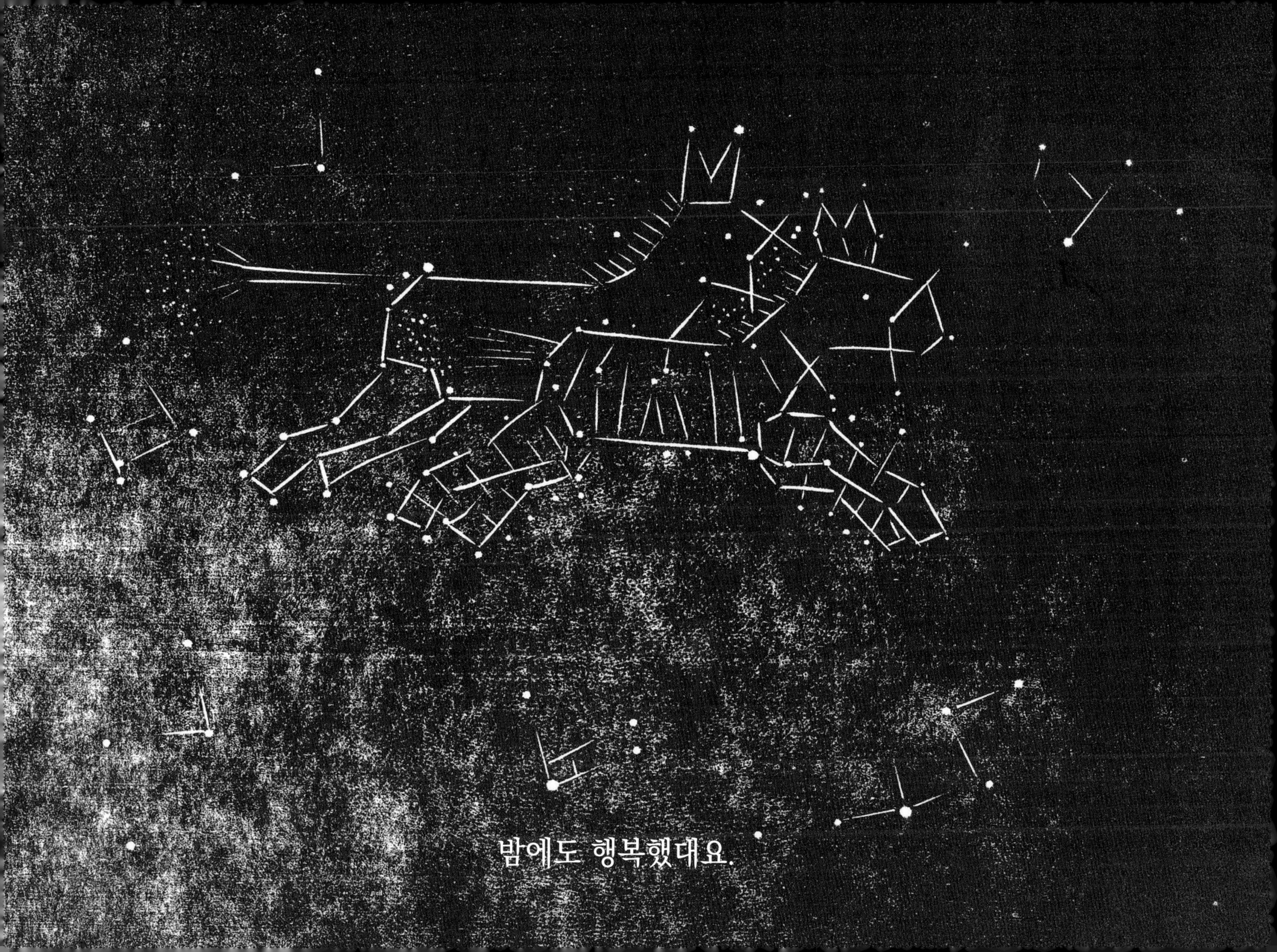
밤에도 행복했대요.

그런데 걱정이 하나 있었어요.

비슷하게 생겼지만 서로 달라서요.
엄마는 당나귀고, 아빠는 얼룩말이니까요.

당나귀는 **당나귀**끼리만

살았고,

얼룩말은 **얼룩말**끼리만
살았거든요.

그래서 엄마는
함께 살 수 있는
방법을 고민했어요.

아빠도 같은 고민을 했어요.

엄마는 **얼룩말**로 변장했고, 아빠는 **당나귀**로 변장했어요.

그러고는 서로를 찾아다녔어요.

엄마랑 아빠는 온종일 헤매다가

집으로 돌아오는 길에 만났죠.

서로 변장한 모습을 보고는

한참 동안 웃었어요.

엄마는 **당나귀**, 아빠는 **얼룩말**.

엄마 아빠는

서로의 모습 그대로를

사랑한다는 걸 깨달았어요.

마침내 엄마랑 아빠는 결혼했고,
내가 태어났어요!

나는 **제동크**,

내 이름도 **제동크**.

난 들판에서 뛰어다니는 걸

좋아해요.

친구도 아주 많아요.

엄마는 **당나귀**, 아빠는 **얼룩말**, 나는 **제동크**.
우리 가족은 서로 달라도 행복합니다.

My Name is Zedonk

Hello, I am a zedonk.

My mom is a donkey.
My dad is a zebra.

My grandma says that my mom and dad look similar to each other but they are different kinds.
My mom is a donkey, and my dad is a zebra.

My mom and dad met in the field and it was love at first sight.

They were very happy day and night.

But, they were worried about their differences.
My mom is a donkey, and my dad is a zebra.

Because donkeys and zebras do not live together.

So, my mom worried about how to live together.
Dad worried about the same problem.

So my mom disguised herself as a zebra, and my dad disguised himself as a donkey.
They looked for each other here and there.

Mom and dad wandered all day, and they finally met on their way home.
They looked at each other, and laughed for a long time.

My mom is a donkey, and my dad is a zebra.
They realized they loved each other for who they were.

Finally, they got married and I was born!

I am a zedonk,
My name is also Zedonk.
I like to run around in the field.

I have many friends.

My mom is a donkey, and my dad is a zebra, and I am a zedonk.
My family is very happy.